Dubbel geheim

Lieneke Dijkzeul

Zwijsen

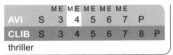

	ME	ME	ME	ME	ME	
AVI	S	3	4	5	6	7	P
CLIB	S	3	4	5	6	7	8	P

thriller

Toegekend door Cito i.s.m. KPC Groep

NUR 286
ISBN 978.90.487.0813.0

© Uitgeverij Zwijsen B.V., Tilburg, 2011
Tekst: Lieneke Dijkzeul
Illustraties: Mark Janssen
Vormgeving: Rob Galema

Voor België:
Uitgeverij Zwijsen.be, Antwerpen
D/2011/1919/50

Inhoud

1. Naar het verboden bos

Het is woensdag.
Palle en Niek hebben vrij van school.
Ze hebben gevoetbald.
Met vrienden op het veldje.
Nu is de middag bijna om.
'Wat gaan we nu doen?' vraagt Palle.
Niek denkt na.
'We gaan naar het bos!'
'Ja maar …' zegt Palle.
'Dat mag niet van mama.'
'Merkt ze toch niet,' zegt Niek.
'Kom, we gaan op de fiets!'

Er is ooit iets ergs gebeurd in het bos.
Mama vindt het er eng.
Altijd zegt ze:
'Jullie gaan daar niet alleen naartoe!'
Maar nu is het woensdag.
En ze hebben niks te doen …
'Goed,' zegt Palle.

Ze sluipen naar de schuur.
Mama is in de keuken.
Ze ziet hen door het raam.
'Wat gaan jullie doen?'
'Fietsen!'
Mama lacht en zwaait.
'Op tijd thuis, denk erom!'

8

Niek en Palle fietsen naar het bos.
Ze zijn een tweeling.
Ze doen altijd alles samen.
Ook alles wat niet mag …
Het bos is spannend omdat het niet mag.
Het is geen groot bos.
Vroeger kwamen ze er vaak.
Je kunt er niet verdwalen.
In het midden is een open plek.
Daar speelden ze altijd hun spel.

Ze leggen hun fietsen achter een struik.
Daar zal niemand ze zien.
'Jij bent hem!' zegt Niek.
Palle vindt het best.
Niek verstopt zich bij de open plek.
Palle moet hem zoeken.
Maar Niek mag hem niet horen.
Als hij hem hoort, is Palle af.
Niek verdwijnt tussen de bomen.
Palle telt tot honderd.
Daarna gaat hij op weg naar de open plek.
Palle sluipt zo zacht als hij kan.
Er mag geen takje kraken …

Niek zit allang verstopt.
Hij luistert heel goed.
Er zingt een vogel.
Verder hoort hij niets.
Maar dan …
Kraak … kraak …

Daar komt Palle!
Wat maakt hij veel lawaai!
Dat doet hij anders nooit.
Niek gluurt tussen de struiken door.
Daar beweegt iets …
Niek wil al roepen: 'Ha, ik hoor je!'
Maar dan ziet hij het.
Het is Palle niet.
Het is een man.
Een jonge man.
Bijna nog een jongen.
In zijn ene hand heeft hij een tas.
In de andere hand een schop.
De man zet de tas neer.
Hij kijkt om zich heen.

Niek beweegt zich niet.
Hij houdt zijn adem in.
De man begint te graven.
Hij graaft een flink diep gat.
Niek snapt er niets van.
Wat doet die vent raar!
En waar is Palle?

De man is klaar met graven.
Hij kijkt nog eens om zich heen.
Niek zit heel stil.
De man zet de tas in de kuil.
Daarna pakt hij zijn schop weer.
Hij gooit de kuil dicht.
Hij stampt de aarde aan.

Dan raapt hij twee takken op.
Die legt hij op de plek.
Hij legt ze in de vorm van een kruis.

2. Wat zit erin?

De man gooit wat bladeren op de kuil.
Hij veegt zijn handen af aan zijn broek.
Hij stampt nog eens op de grond.
Kijkt weer om zich heen …
Maar alles is stil.
Er is niemand.

De man loopt weg.
Met de schop over zijn schouder.
Hij doet geen moeite om stil te zijn.
Hij loopt gewoon weg.
Alsof er niets aan de hand is.

Niek heeft kramp in zijn benen.
Maar hij durft zich niet te verroeren.
In zijn hals kriebelt iets.
Steeds zachter worden de voetstappen.
Tot ze niet meer te horen zijn.
Niek veegt in zijn hals.
Een spin!
Getsie.
En waar blijft Palle nou?

Er ritselt iets achter een boom.
Niek staat op.
Dat durft hij nu wel.
'Palle!'
Daar is Palle.

'Zag je die vent?' hijgt Niek.

'Ja,' zegt Palle.

'Daarom kwam ik niet.

Ik wilde weten wat hij deed.'

'Hij heeft een gat gegraven,' zegt Niek.

'Zag je dat?'

'Ja,' zegt Palle.

'En hij stopte er een tas in.'

Ze kijken elkaar aan.

Ze zijn een tweeling.

Ze begrijpen elkaar altijd.

'Ik wil weten wat erin zit,' zegt Niek.

'Zullen we gaan kijken?'

'Is hij echt wel weg?' vraagt Palle.

Ze luisteren.

In de verte start een scooter.

De scooter rijdt weg.

'Dat was hem!' zegt Niek.

'Kom op!'

3. De tas

Niek en Palle gaan aan het werk.
Eerst de takken opzij.
En dan graven.
Ze hebben geen schop.
Maar het is niet moeilijk.
De aarde is nog zacht.
Daar zien ze de tas al.
Hij is blauw, met een lange rits.
Een reistas.
'Daar is hij!' roept Palle.
Ze vissen de tas uit de kuil.
Niek ritst hem open.
'Ooo …' zegt hij.
Geld.
De tas zit vol met geld.
Stapels geld.
Heel erg veel geld.
Te veel om te tellen.

Niek en Palle kijken elkaar aan.
Ze zijn een tweeling.
Ze begrijpen elkaar altijd.
Ze weten wat de ander denkt.
'Gestolen!' roept Palle.
'Natuurlijk,' zegt Niek.
'We moeten … we moeten …' zegt Palle.
En dan weet hij het niet meer.
'Wat moeten we?' vraagt Niek.

'Weet ik niet,' zegt Palle zacht.
'Ik ook niet,' zegt Niek.
'Maar we nemen het mee!'
'En dan?' vraagt Palle.
'Wat moeten we ermee doen?
We kunnen het niet vertellen.
Dat wij het hebben gevonden.
Want we mogen niet in het bos!'
Oeps.
Dat was Niek even vergeten.
Mama zal boos worden.
En papa ook.

Niek denkt heel diep na.
'We begraven het gewoon opnieuw.
Maar dan ergens anders.'
'En dan?' vraagt Palle.
'Dan zien we wel,' zegt Niek.
'Ja maar …'
Palle moet bijna huilen.
Al dat geld …
Hij heeft nog nooit zo veel geld gezien.
Wat moeten ze ermee?
Ze kunnen het toch niet zomaar houden?
'Niek …'
'Ik bedenk wel iets,' zegt Niek stoer.
'Maak je niet druk.'

4. Gewoon naar huis

Palle maakt zich wél druk.
Zo veel geld.
Gestolen geld …
En zij hebben het gevonden.
'Luister nou, Niek,' zegt hij.
'Dat kan niet, hoor.
We moeten iets doen.'
'Hou nou op!' schreeuwt Niek.
'Ik weet het óók niet!
We begraven het opnieuw.
En dan gaan we gewoon naar huis.'
'Goed,' zegt Palle zachtjes.
Niek beslist altijd alles.
Meestal is dat fijn.
Maar nu niet.

Ze nemen de tas mee.
Hij is zwaar.
Raar, dat geld zoveel weegt, denkt Palle.
Het is toch maar papier.
Ze sjouwen de tas tot de rand van het bos.
'Hier,' zegt Niek.
'We begraven hem hier opnieuw.
En morgen zien we wel verder.'

Ze graven een gat.
Met hun blote handen.
Gelukkig is de grond hier ook zacht.

Het duurt niet zo heel erg lang.
Ze leggen de tas in de kuil.
Gooien de aarde er weer op.
Stampen de grond aan.
Ziezo.
'Nu een paar takken erop,' zegt Niek.
'Nee, ben je gek!' roept Palle.
'Straks komt die man terug!
En dan ziet hij onze takken.'
Niek zucht.
'Een steen dan.'
Ze zoeken een grote steen.
Die leggen ze op de plek.
Pffff … klaar.

5. Een overval

Thuis zetten ze hun fiets in de schuur.
Mama is aan het koken.
'Jullie zijn net op tijd,' zegt ze.
'Waar waren jullie?'
'Gewoon, fietsen,' zegt Niek.
'Niet meer naar buiten,' zegt mama.
'We gaan zo eten.'

In de kamer zit papa voor de tv.
Hij kijkt naar het nieuws.
'Hoi, pap!'
'Sssst!' zegt papa.
'Even wachten!'
Niek en Palle gaan op de bank zitten.
Ze kijken mee.
'Een overval!' zegt papa.
'In ons dorp.
De bank is beroofd!
Door een vent op een scooter.
Er is heel veel geld weg.
Hij had een pistool.
Stel je voor …
Een echt pistool.
En die man had een masker op!'
Hij lacht.
'Spannend!
Hier gebeurt nooit iets.'
Palle en Niek kijken elkaar aan.

Dus toch…
Een pistool!
Die man is echt gevaarlijk.
En zij hebben hem gezien.
Opeens hebben ze geen honger meer.

'Wat eten jullie weinig,' zegt mama.
'Niet zo'n honger,' zegt Niek.
'Niet zo'n honger,' zegt Palle.
'Maar het is pasta!' zegt mama verbaasd.
'Met balletjes, en tomaten.
Dat vinden jullie toch zo lekker?'
'Beetje buikpijn,' mompelt Niek.
'Beetje hoofdpijn,' mompelt Palle.
Papa schept zijn bord nog eens vol.
'Waar hebben jullie gespeeld?'
'Gewoon, buiten,' zegt Niek.
'Ja, maar waar dan?'
'Gewoon, op het veldje,' zegt Palle.
Hij schuift zijn bord weg.
Die balletjes …
Ze glimmen.
Jakkes.
Niek schuift ook zijn bord weg.
Die pasta …
Het plakt in zijn mond.
Jakkes.
Ze kijken niet naar elkaar.
Ze weten het zo ook wel.
Liegen is niet leuk.
Maar ze kunnen niets zeggen.

Niet vertellen van het bos.
Papa zal boos worden.
Mama zal ook boos worden.
Ze weten niet wat erger is.

Mama kijkt naar papa.
Papa haalt zijn schouders op.
'Vroeg naar bed,' zegt hij.
'Jullie hebben zeker ijs gegeten.'
Hij lacht.
'Met nootjes en slagroom.'
Palle doet zijn mond open.
En dan weer dicht.
Nee zeggen kan niet.
Maar ja zeggen ook niet.

6. Wat doen we nou?

Palle en Niek slapen samen op één kamer.
Dat vinden ze het fijnst.
Ze zijn een tweeling.
En een tweeling is altijd bij elkaar.
Palle slaapt onder een blauw dekbed.
Niek onder een rood.

Ze zeggen een hele poos niks.
Maar ze slapen niet.
Buiten is het nog licht.
Ergens fluit een merel.
De buurman start zijn auto.
Hij rijdt weg.
Daarna is het weer stil.
'Slaap je al?' vraagt Palle.
'Nee.'
'Ik ook niet.'
Niek gaat rechtop zitten.
'Ik heb honger.'
'Ik ook.'
Ze zuchten allebei.
'Wat doen we nou?' vraagt Palle.
'Met al dat geld?
Het is niet van ons.
Het is van de bank.'
'Ja, natuurlijk,' zegt Niek.
'We brengen het gewoon terug.'
'Hoe dan?' vraagt Palle.

'Lopen we gewoon naar binnen?'
'Nee!' roept Niek.
'Ben je gek!'
'Sssst,' fluistert Palle.
'Niet zo hard!'

En ja hoor.
Mama komt naar boven.
Ze horen haar voetstappen op de trap.
Ze duiken onder hun dekbed.
Doen hun ogen dicht.
De deur gaat open.
'Slapen jullie nou nóg niet?'
'Bijna,' zegt Niek.
Hij geeuwt.
'Hoe gaat het met de buikpijn?'
'Bijna over,' zegt Niek.
'En met de hoofdpijn?'
'Bijna over,' zegt Palle.
'Ik wil jullie niet meer horen,' zegt mama.
Ze aait over hun hoofd.
'Slaap lekker.'

Ze luisteren naar de voetstappen.
Beneden gaat een deur dicht.
'Hoe wil je dat dan doen?' fluistert Palle.
'We kunnen toch niet naar de bank gaan?
En dan zeggen: hier is uw geld.
Dan willen ze weten wie we zijn.
En dan hoort papa het.
En mama ook!'

Dat is waar.
Niek denkt na.
'We gaan nu slapen,' zegt hij.
'En morgen weet ik het.'
'Echt waar?' fluistert Palle.
'Echt waar.'
Ze zeggen niets meer.
Maar ze slapen niet.
Het is nog licht.
En de merel fluit nog steeds.

7. Het plan

Palle wordt wakker.
Hij denkt meteen aan de overval.
Zo veel geld!
Je kunt er alles voor kopen.
Papa wil heel graag een nieuwe auto.
Mama wil een nieuw bankstel.
Niek en hij willen een nieuwe fiets.
Maar het geld is niet van hen.
Eigenlijk best jammer ...

Palle kijkt naar Niek.
Niek slaapt nog.
'Niek ... pssst!
Word nou wakker, slaapkop!'
Niek schrikt wakker.
Hij geeuwt.
'Wat is er?'
'Het geld van de overval!' zegt Palle.
'Heb je al iets bedacht?
Weet je het al?'
'Ja,' zegt Niek.
'Ja hoor, ik weet het al.
Het is helemaal niet moeilijk.'
Niet moeilijk? denkt Palle.
Nou moe ...
'Wat heb je dan bedacht?'
Niek rekt zich lekker uit.
Hij gaat rechtop zitten.

'Luister,' zegt hij.
'Achter de bank is een tuin.'
Ja, dat weet Palle ook wel.
'Daar zit een schutting omheen!'
'Weet ik,' zegt Niek.
'Nou dan!' roept Palle.
'Dan komen we toch niet binnen?'
'Hoeft ook niet,' zegt Niek kalm.
'Hoezo niet?'
Niek lacht.
'We gooien de tas over de schutting.'
'En dan?' vraagt Palle.
'En dan rennen we weg.'
'En dan?' vraagt Palle weer.
'Dan niks,' zegt Niek.
'Zeur nou niet zo!
Dan vinden zij die tas gewoon.
Ze maken hem open …
En klaar is Kees.'

Palle denkt na.
Het is een goed idee.
Niemand zal hen zien.
En het geld is terug.
'Goed,' zegt hij.
'Meteen na school?'
'Meteen na school,' zegt Niek.

8. Dromen over geld

Ze gaan ontbijten.
Een boterham, en nog een boterham …
En nog een, en nog een.
Met kaas, en worst, en jam.
'Tjonge,' zegt papa.
'De buikpijn is zeker helemaal over.
En de hoofdpijn ook.'
'Ja hoor,' zegt Niek.
'Ja hoor,' zegt Palle.
'Het was vast het ijs,' plaagt papa.
Niek en Palle zeggen niets.
Eerst naar school …

Op school praat iedereen over de overval.
Hoe spannend het is.
Een vent met een echt pistool!
'Dat geef je toch niet?' zegt Peter.
'Al dat geld?'
Hij is een vriend van Palle en Niek.
'Maar hij had een pistool!' roept Femke.
'Nou en?' zegt Peter.
'Misschien was het niet eens geladen!'
'Dat weet je niet,' zegt Martijn.
'Stel je voor dat hij gaat schieten.'
'Wat vind jij?' vraagt Peter aan Niek.
'Ik zou het geven,' zegt Niek.
'Want je weet maar nooit.'
Hij kijkt niet naar Palle.

Dat hoeft ook niet.
Hij weet zo wel wat Palle denkt.
De bel gaat.
Iedereen gaat naar binnen.

'Jullie hebben het allemaal gehoord.'
De meester kijkt de klas rond.
'Een echte overval.
In ons dorp!
Dat gebeurt niet elke dag.
Dus ik heb iets bedacht.
Jullie schrijven een opstel.
Over hoe het is als je dat geld vindt.
Geld van een overval.
Wat zou je doen?'
'Houden!' roept Peter.
Iedereen lacht.
'Prima,' zegt de meester.
'Dan schrijf jij daarover.'
Hij deelt papier uit.
'Allemaal aan het werk!'

Palle en Niek zitten niet naast elkaar.
Dat vindt de meester niet goed.
Hij denkt dat ze dan alleen maar praten.
Misschien heeft hij daar wel gelijk in.
Maar nu mist Palle Niek wel heel erg.
Waar moet hij over schrijven?
Hij weet waar het geld is.
En wat je er allemaal mee kunt doen …

Niek schrijft al.
Waar schrijft hij over? denkt Palle.
Zuchtend begint hij ook.
Ik zou een nieuwe auto kopen …
En een nieuw bankstel …
En een nieuwe fiets …
Dat kan hij makkelijk schrijven.
Hij gaat het toch niet doen.
Natuurlijk niet.
Maar het is leuk om erover te dromen.
En hij is de enige in de klas.
De enige die weet dat je dat niet doet.
Nou ja, en Niek natuurlijk.
Hij weet het ook.

9. Graven

De school gaat uit.
Eindelijk.
Taal … rekenen … tekenen …
Palle is blij als hij op het schoolplein staat.
En daar is Niek.
'Kom!'
Ze halen hun fiets uit het rek.
'Gaan jullie mee voetballen?' roept Peter.
'Op het veldje?'
'Geen tijd!' roept Niek.
'Morgen!'
Ze fietsen hard weg.

Bij het bos kijken ze goed om zich heen.
Er is niemand.
Geen man op een scooter.
Geen man met een pistool.
Ze leggen hun fiets in het gras.
'Opschieten!' zegt Palle.
Ze hollen naar de goede plek.
De steen ligt er nog.
'Er is niemand geweest,' zegt Palle.
'Natuurlijk niet,' zegt Niek.
'Die man weet toch van niks?
Hij denkt dat het op de open plek ligt.'

Ze beginnen te graven.
De kluiten vliegen alle kanten op.

Daar is de tas.
Hij is nu erg vies.
Overal zit modder.
Niek ritst hem open.
'Het zit er nog in!'
'Natuurlijk,' zegt Palle.
'Wat dacht jij dan?
Niemand weet toch dat het hier lag?'
Ze kijken nog eens naar het geld.
Stapels en stapels geld.
'Wat is het veel,' zucht Niek.
'Weet je wat ik heb geschreven?
Dat ik een zeilboot wilde kopen!
Om rond de wereld te varen.'
'Kom nou, opschieten,' zegt Palle.

Ze fietsen door het dorp.
Alles is rustig.
Mensen wandelen.
Er zit een oude man op een bankje.
Een kleuter voert de eenden in de vijver.
Hij lacht naar zijn moeder.
Raar, denkt Palle.
Alles is net als anders.
Ze fietsen naar het plein.
Daar is de bank.
Daar zijn de meeste winkels.
Niek stapt af.
Palle stapt af.
Ze zetten hun fietsen in een rek.
Niet vlak bij de bank.

Maar helemaal aan de andere kant.
'Niek, kijk!' zegt Palle.
Er staat een agent voor de bank.
Hij heeft zijn handen op zijn rug.
Hij kijkt om zich heen.
'Wat doen we nou?' fluistert Palle.
'Gewoon,' zegt Niek.
Hij haalt de tas van zijn stuur.
'Die agent ziet ons toch niet?
Kom, we gaan achterom.'

10. De schutting

Ze lopen om het plein heen.
Aan de achterkant is een pad.
Het is net als met gewone huizen.
Alle winkels hebben een tuin.
Maar bijna nergens lijkt die op een tuin.
Er staan kratten.
Of er staan stapels dozen.
Of er liggen alleen maar tegels.
De meeste tuinen hebben een hek.
De bank heeft een schutting.
Een hoge schutting.
Er zit wel een deur in.
Maar die zit op slot.
Palle voelt eraan.
Ja hoor.
De deur zit echt op slot.
Ze kijken rond.
Er is niemand op het pad.
'Ik vind het een beetje eng,' fluistert Palle.
'Schiet nou op, Niek.'
'Ja-ha,' zegt Niek.
'Nou, let op.'
Hij tilt de tas hoog op.
Zo hoog als hij kan.
En … hup!
Daar vliegt de tas over de schutting.
Plof!
Nu is er niets meer aan te doen.

Palle zucht van opluchting.
De tas is weg.
Eindelijk.
'En nou wegwezen!' fluistert Niek.
Ze draaien zich om.
Hollen het pad af.
Rennen naar hun fiets.
Springen erop.
Fietsen als een gek naar huis.

11. Voetballen

Ze zetten hun fiets in de schuur.
Doen de schuurdeur dicht.
Dan gaan ze naar binnen.
Alles is heel normaal.
Mama zit in de kamer.
Ze leest de krant.
'Ha,' zegt ze.
'Zijn jullie daar al?
Hoe was het op school?'
'Gewoon,' zegt Niek.
'Gewoon,' zegt Palle.
'Willen jullie thee of fris?' vraagt mama.
'Fris,' zegt Niek.
Palle knikt.

Met hun glas fris zitten ze in hun kamer.
'Goed man!' zegt Niek.
'Niemand heeft ons gezien.
Niemand weet dat wij het waren.'
Palle lacht.
Het is allemaal prima gegaan.
Niemand heeft hen gezien.
Niemand weet dat zij het waren.
'Denk je dat ze het vinden?' vraagt hij.
'Het geld?'
'Natuurlijk!' zegt Niek.
'Wat dacht je dan?'
'En nu?' vraagt Palle.

'Nu niks,' zegt Niek.
'Helemaal niks.
We gaan lekker voetballen.'

Ze gaan naar beneden.
'Wat gaan jullie doen?' vraagt mama.
'Voetballen,' zegt Niek.
'Op tijd thuis,' zegt mama.
'Denk eraan.
En wat willen jullie straks eten?'
'Mogen we pizza?' vraagt Niek.
'Vooruit dan maar,' zegt mama.

Ze hollen naar buiten.
Voetballen!
Palle schopt de bal dwars over de straat.
Hij is zo vreselijk blij.
Het geld is terug bij de bank.
Precies zoals het moet.

12. Gelukt!

Die avond kijkt een man naar het nieuws.
Hij zit alleen in zijn kamer.
Geen lampen aan.
Alleen de tv.
De man luistert niet goed.
Hij droomt een beetje.
Over geld.
Geld dat in het bos ligt.
Veilig begraven.
Geld waar hij alles mee kan doen.
Een verre reis maken …
Een auto kopen …
Maar dan schrikt hij op.
Hij zet het geluid harder.
'Een raadsel,' zegt de man van het nieuws.
'Het geld van de overval is terug.
De overval op de bank in het dorp.
Vanmiddag lag het in de tuin van de bank.
Niemand begrijpt hoe het kan.
Heeft de dader spijt gekregen?
We zullen het wel nooit weten.
Maar bij de bank is men erg blij.'

De man springt op.
Hij rent naar buiten.
Stapt op zijn scooter.
Scheurt weg.
Scheurt naar het bos.

42

Op de open plek ziet hij de kuil.
Er ligt niets in.
Geen tas.
Geen geld.

In hun bed liggen twee jongens.
'Gelukt,' zegt Palle.
'Ze hebben het gevonden!'
Niek lacht.
'Goed van ons!'
'Maar …,' zegt Palle.
'Wat maar?'
'Ik ga niet meer naar het bos.'
'Waarom niet?' vraagt Niek verbaasd.
'Durf ik niet,' zegt Palle.
'Stel dat die vent terug komt?'
Niek denkt na.
'Je hebt gelijk,' zegt hij.
'We kunnen er niet meer naartoe.
Daar had ik niet aan gedacht.'
Ze zuchten heel diep.
'Krijgt mama tóch haar zin,' zegt Palle.